La Lun[e]

Texte de Stéphanie Ledu
Illustrations de Catherine Brus

MILAN

Que voit-on dans le ciel
par une nuit sans nuages ?

Des étoiles ! Ce sont
des soleils très lointains.

Plus près de nous se trouve la Lune...

On dit que la Lune est le **satellite** de la Terre : elle **tourne autour** de notre planète en 27 jours et 8 heures.

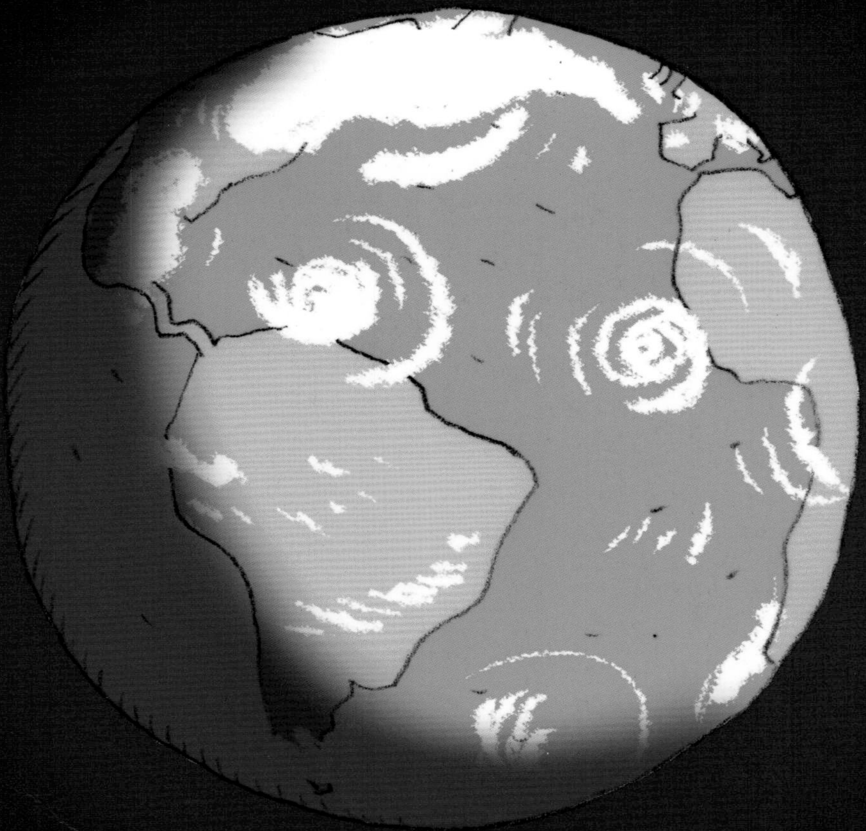

Elle est 4 fois plus petite que la Terre.

La Terre n'est pas la seule à posséder une lune.
Autour de Jupiter, la plus grosse planète
du système solaire, tournent plus de 60 lunes !

Certaines sont minuscules,
mais 4 d'entre elles sont très grandes.

Comment notre Lune est-elle née ?
On pense qu'il y a des milliards d'années,
un **astre** énorme a percuté la Terre.

Les débris de
la **collision** se sont
mis à tourner…

Puis ils se sont
agglomérés pour
former la Lune.

La voici, vue au **télescope** !
Les taches sombres sont d'immenses **plaines de roche volcanique**.
On les appelle **mers**, même s'il n'y a pas d'eau.

Les zones claires correspondent à des **cratères** et des **montagnes**.
On les appelle continents.

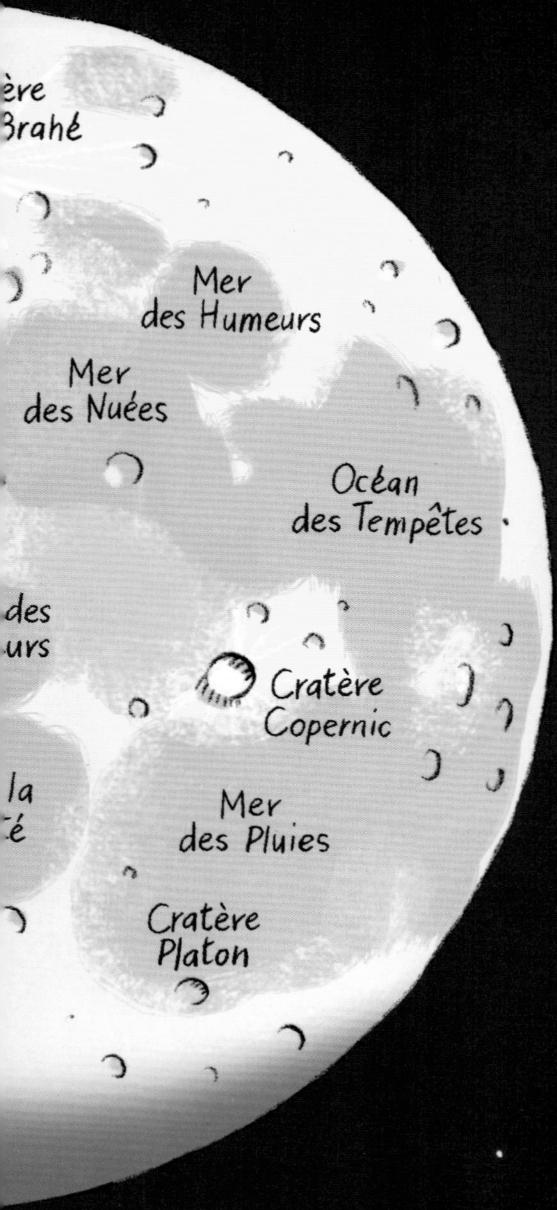

Les astronomes leur ont donné de jolis noms...

Les hommes ont toujours été fascinés par la Lune. Certains peuples pensaient qu'elle était **grignotée** par un monstre, nuit après nuit. D'autres croyaient qu'elle était **habitée** par un crapaud, un lièvre...

... ou d'autres créatures
encore plus étranges !

La Lune brille. Pourtant, elle n'émet pas de lumière : c'est le Soleil qui l'éclaire. Selon sa position dans l'espace, elle semble changer de forme.

D'abord, on ne la voit pas : c'est la nouvelle lune.

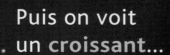

Puis on voit un croissant...

Quand elle est tout entière éclairée, c'est la pleine lune !

Un quartier…

Parfois, le Soleil, la Lune et la Terre sont parfaitement **alignés**. Ce phénomène rare s'appelle une **éclipse de Soleil**.

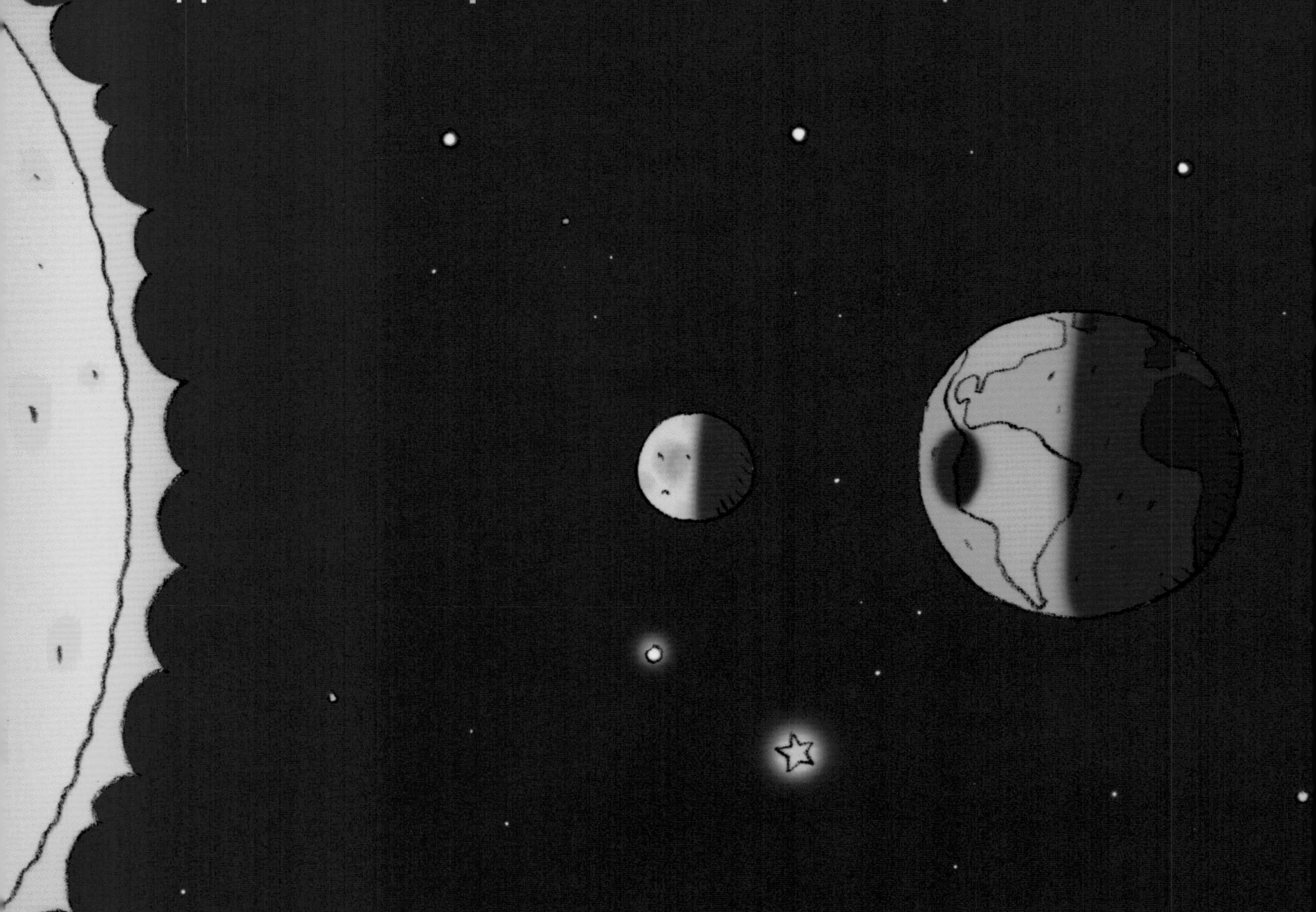

Regarde bien : la Lune projette son **ombre** sur la Terre.

Les gens qui se trouvent dans la zone
de l'éclipse ne voient plus le Soleil :
il est **caché** derrière la Lune.

Pour l'observer sans
s'abîmer les yeux,
il faut porter des
lunettes spéciales !

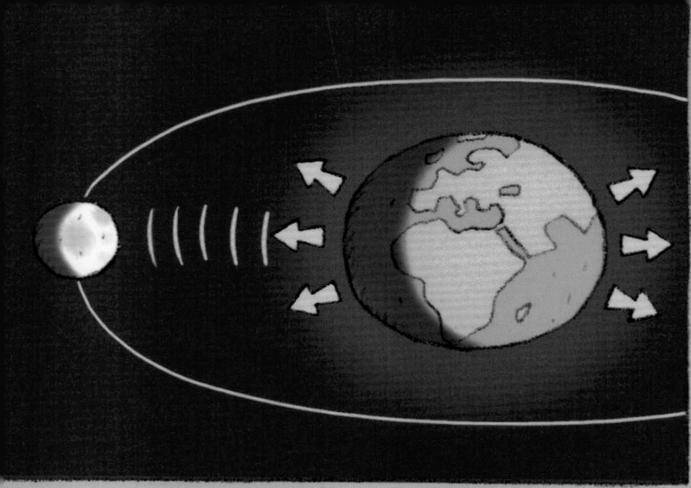

La Lune est à l'origine des **marées**. Quand elle se trouve en face d'un océan, elle attire l'eau vers elle, comme un aimant. C'est **marée haute**.

Quand elle s’éloigne, le niveau de la mer baisse. C’est **marée basse**, le moment d’aller ramasser des coquillages !

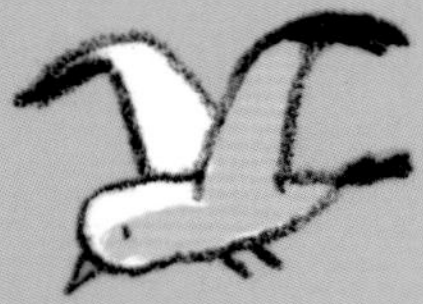

La Lune se trouve à environ
384 000 km de la Terre.
Cela te paraît énorme ?
Pourtant, à l'échelle
de l'espace, c'est
une distance
minuscule.

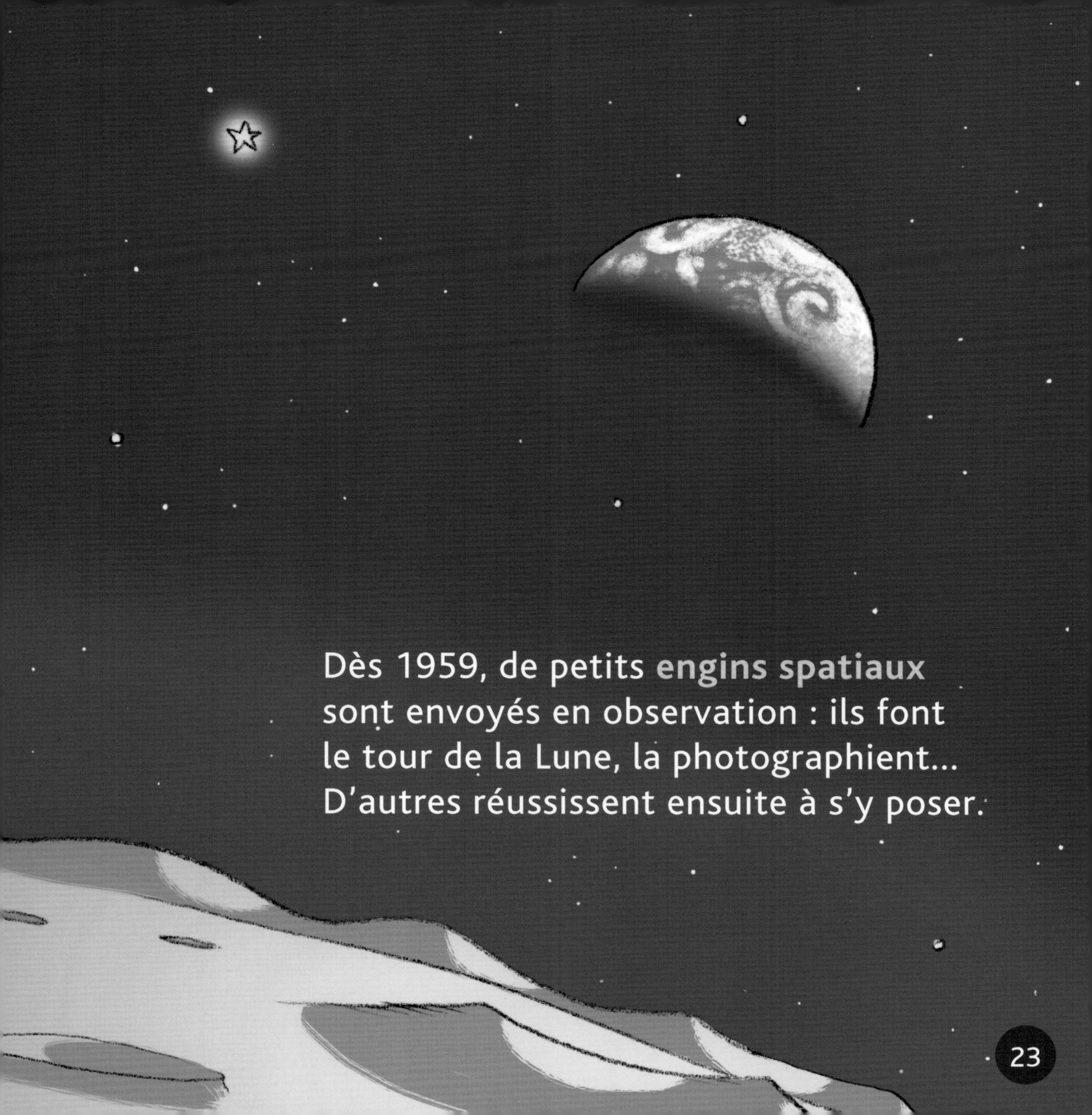

Dès 1959, de petits **engins spatiaux** sont envoyés en observation : ils font le tour de la Lune, la photographient... D'autres réussissent ensuite à s'y poser.

En 1969, pour la première fois,
des hommes s'envolent pour la Lune.
3 **astronautes** américains prennent
place dans la **capsule** ***Apollo 11***,
au sommet de la **fusée** ***Saturn V***.

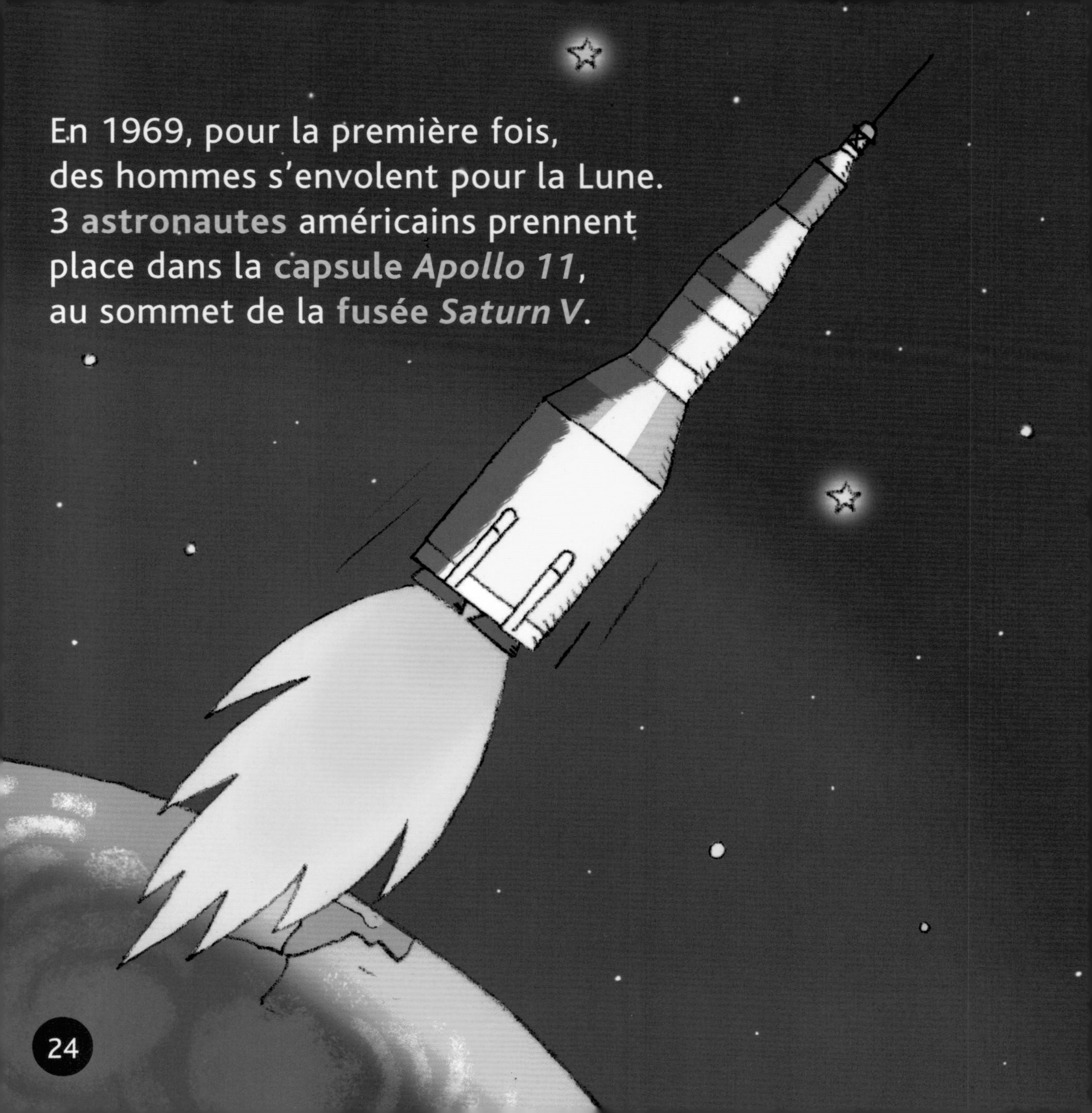

Après plus de 4 jours de voyage, ils **alunissent** dans la **mer de la Tranquillité**. Neil Armstrong est le premier homme à marcher sur la Lune !

D’autres équipages suivent celui d’*Apollo 11*. Au total, 12 hommes sont allés sur la Lune, pour collecter des roches et mener des expériences scientifiques.

Lors des dernières missions, les astronautes avaient même une **Jeep lunaire** !

Aujourd'hui, on prévoit de construire une base sur la Lune. Elle pourrait être utilisée pour décoller vers la **planète Mars** et explorer l'**Univers**… L'aventure continue !

Découvre tous les titres
de la collection
Mes P'tits DOCS